Ce livre appartient à :

_____

_____

_____

_____

GEORGES
NAEF

*Adaptation
de
Charles Dupaty*

Les Lutins
et le
Cordonnier

*Illustrations
de*
PETER STEVENSON

D'après un conte de Jacob et Wilhelm Grimm

Il était une fois un cordonnier
si pauvre qu'un soir, il n'eut même
plus de quoi acheter à manger pour
lui et sa femme. Alors qu'il
regardait tristement autour de lui,
il découvrit qu'il restait juste assez
de cuir rouge pour faire une paire de
souliers.

Il se mit à découper le cuir,
tout en se demandant si quelqu'un
viendrait un jour lui acheter
les souliers. Puis il déposa le cuir
sur son établi, et alla se coucher.

Le lendemain matin, lorsqu'il arriva
dans son atelier, le cordonnier n'en
crut pas ses yeux. A la place
des morceaux de cuir
qu'il avait préparés
la veille, il vit
une ravissante
paire de petits
souliers rouges.

Le cordonnier
les examina
de près.
Les coutures
étaient
minuscules
et régulières,
et ils étaient si bien cirés
qu'ils brillaient comme le soleil.
Qui avait bien pu fabriquer d'aussi
jolis petits souliers ?

Un peu plus tard, une dame vint dans la boutique pour acheter des chaussures. Lorsque le cordonnier lui montra les souliers rouges, elle s'exclama : « Ce sont de très jolis souliers, et ils me vont parfaitement. » Elle donna cinq pièces d'or au cordonnier et partit avec les souliers.

Ainsi, le cordonnier put enfin acheter de la nourriture pour sa femme et pour lui, et assez de cuir pour faire deux nouvelles paires de souliers.

Tout comme la veille, il découpa les morceaux de cuir et partit se coucher.

Le lendemain matin, le même
prodige se produisit. Lorsque
le cordonnier entra dans son atelier,
deux ravissantes paires de souliers
l'attendaient.

Elles étaient si bien cirées qu'elles
brillaient dans la lumière du jour,
et les coutures étaient minuscules
et régulières.

L'après-midi, un riche marchand
entra dans le magasin. Il trouva les
souliers si jolis qu'il acheta les deux
paires, et donna vingt pièces d'or au
cordonnier.

Cette fois-ci, le cordonnier put
acheter assez de cuir pour fabriquer
quatre paires de souliers. Comme
les jours précédents, il le découpa,
le laissa sur son établi,
et le lendemain matin, trouva quatre
ravissantes paires de souliers.
Nuit après nuit, le même miracle se
produisit. Jour après jour, de riches
clients vinrent acheter les souliers,
si bien que le cordonnier et sa
femme furent bientôt très à l'aise.

Un soir, peu de temps avant Noël,
le cordonnier dit à sa femme :
« Quelqu'un nous a aidé pendant
tout ce temps et nous ne savons
même pas qui cela peut bien être. »

« Eh bien , lui dit sa femme, ce soir,
cachons-nous dans l'atelier
et regardons ce qui se passera. »

Alors, après le dîner, ils prirent une
chandelle, se cachèrent derrière
l'établi du cordonnier et attendirent
qu'il se passe quelque chose.

Enfin, la porte s'ouvrit et deux
petits lutins se faufilèrent par
l'ouverture. Ils allèrent tout droit
vers les morceaux de cuir
et se mirent au travail.

Ils cousirent et martelèrent jusqu'à
ce que les souliers soient terminés.
Puis ils les cirèrent jusqu'à ce qu'ils
brillent comme la lune ; alors,
ils repartirent.

Le lendemain matin, le cordonnier dit à sa femme : « Ces lutins ont travaillé très dur pour nous. Comment pouvons-nous les remercier ? »

« Je sais ! dit sa femme. As-tu remarqué comme leurs vêtements sont fins et rapiécés ? Je pourrais leur coudre des vêtements bien chauds, et toi, tu pourrais leur fabriquer des chaussures à leur taille. »

Le cordonnier trouva que c'était
une bonne idée. Le soir même,
il fabriqua deux minuscules paires
de souliers, et sa femme cousit
deux petits chapeaux.

Ils firent toutes sortes de petits
vêtements pour les lutins :
des petites chemises, des pantalons
et des vestes. Et finalement le
cordonnier cousit deux minuscules
paires de chaussettes.

La veille de Noël, tout fut prêt.
La femme du cordonnier déposa
les petits vêtements sur du joli papier
et les emballa l'un après l'autre.

Le cordonnier aimait tellement les
petits souliers qu'il les enveloppa
lui-même très soigneusement.

Enfin, ils déposèrent les cadeaux
sur l'établi, puis ils se cachèrent
et attendirent les lutins.

Au milieu de la nuit, les lutins vinrent, prêts à se mettre au travail. Mais lorsqu'ils grimpèrent sur l'établi, tout ce qu'ils trouvèrent furent les cadeaux.

Les deux lutins se regardèrent avec surprise, puis ils réalisèrent que tout était pour eux. Alors, ils se mirent à ouvrir les paquets en riant.

Lorsqu'ils découvrirent tous les jolis vêtements, ils se mirent à sauter de joie. Ils enlevèrent leurs vieilles affaires et enfilèrent leurs habits neufs.

Alors, les lutins gambadèrent jusqu'à la porte et disparurent en chantant :

Nous avons de la chance, ça c'est sûr !
Car nous ne ferons plus de chaussures

Et l'on n'entendit plus parler d'eux.

Le cordonnier et sa femme n'oublièrent jamais les deux lutins, et ils vécurent heureux le reste de leurs jours.